燕子初来语更新

辛夷才谢小桃发

春江水暖鸭先知

讲给孩子的
四季故事
春

刘兴诗 / 文　　白鳍豚文化 / 绘

长江出版传媒　长江少年儿童出版社

鄂新登字 04 号

图书在版编目（CIP）数据

讲给孩子的四季故事 . 春 / 刘兴诗著；白鳍豚文化绘 . — 武汉：长江少年儿童出版社，2020.6
ISBN 978-7-5721-0468-8

Ⅰ . ①讲⋯ Ⅱ . ①刘⋯ ②白⋯ Ⅲ . ①春季－青少年读物 Ⅳ . ① P193-49

中国版本图书馆 CIP 数据核字 (2020) 第 053178 号

讲给孩子的四季故事 · 春

刘兴诗 / 文　白鳍豚文化 / 绘

出品人：何龙

策划：胡星　责任编辑：胡星　郭心怡　营销编辑：唐靓

美术设计：白鳍豚童书工作室　彭瑾　徐晟　杨鑫　插图绘制：白鳍豚童书工作室　胡思琪　徐明晶　赵聪

卷首语：崔艺潇

出版发行：长江少年儿童出版社

网址：www.cjcpg.com　邮箱：cjcpg_cp@163.com

印刷：湖北新华印务有限公司　经销：新华书店湖北发行所

开本：16 开　印张：2.75　规格：889 毫米 ×1194 毫米　印数：10001-16000 册

印次：2020 年 6 月第 1 版，2021 年 1 月第 2 次印刷　书号：ISBN 978-7-5721-0468-8

定价：32.00 元

版权所有　侵权必究

本书如有印装质量问题　可向承印厂调换

春 天，
是一道靓丽的彩虹，
连接起崭新的热情和希望。

赤色是清晨初升的红日，点亮了新鲜耀眼的时光；

橙色是竞相开放的金盏，露出了芬芳四溢的笑颜；

黄色是歌唱生命的黄鹂，唤起了迎春羞涩的目光；

绿色是迎风摇曳的翠柳，舞出了心中跃动的期盼；

青色是涓涓流淌的细流，奏响了轻松欢快的旋律；

蓝色是万里无云的晴空，收藏着孩子童真的欢笑；

紫色是天边飘逸的晚霞，铺开了缤纷绚烂的画卷。

2月的节日

- 2月2日 世界湿地日
- 2月4日 立春（这日前后）／世界癌症日
- 2月10日 国际气象节
- 2月14日 西方情人节
- 2月19日 雨水（这日前后）
- 2月21日 反对殖民主义斗争日
- 2月24日 第三世界青年日
- 2月最后一天 世界居住条件调查日

春天来了，柳树苏醒了。漫长的冬天里，柳树的枝条都是光秃秃的，一阵春风吹过，它们很快长出了嫩绿柔软的新叶，随风舞蹈，好像在向人们传递美妙春天来临的信号。

一年之计在于春，春天是孕育和生长的时节，农民伯伯开始了一年的辛勤农作。这时候，万物复苏，希望萌芽，崭新的一年开始了。

关于 2 月

2月是北半球春季的第一个月，公历年中的第二个月。平年的2月有28天，闰年的2月有29天，历史上的2月有三次出现30天。2月有立春和雨水两个节气，正是寒冬褪去、大地春回的时节。这时候，天气还有些寒凉，降水慢慢增多，万物开始告别寒冬的萧索，迎来新的生机。所谓"春雨贵如油"，在"润物细无声"的春雨中，冬小麦、油菜开始返青，大地渐渐呈现欣欣向荣的景象。

『地球公转与气候变化』

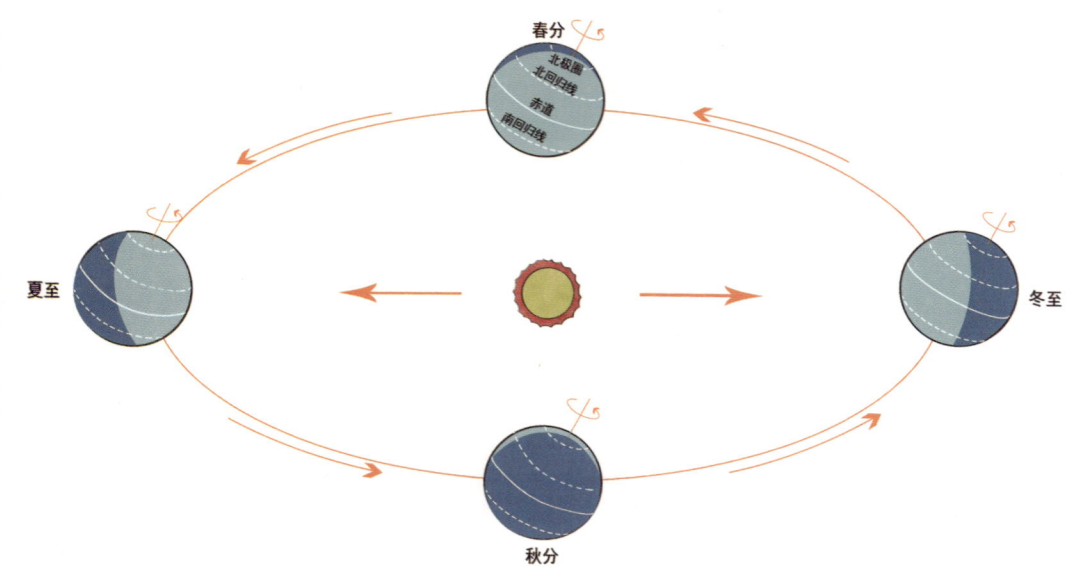

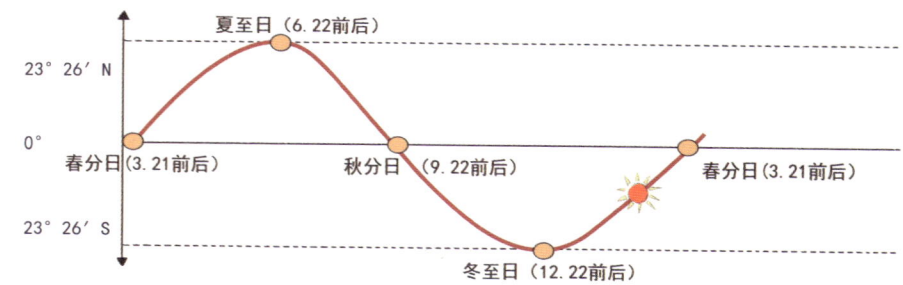

2月是早春。立春标志着春天开始，这时太阳运行到黄经315°。立春后，太阳直射点逐渐北移，天气慢慢暖和起来。雨水则意味着北半球进入气象意义的春天，这时太阳运行到黄经330°，大地气温回升，降水也开始增多。

『诗词赏析』

冬老人走了，春姑娘来了。

尽管这时候原野上的一阵阵风吹来，还带着一些寒意，但一年一度的春天已经从原野里悄悄回来。

没有听说过"春寒料峭""早春二月"吗？

是呀！大清早起来的人们会觉得，在这还有一些寒气的时候，真的可以瞧见春天的脚步了。

这时候的春天到底是什么样子？

请看唐代大诗人白居易的一首诗吧。

赋得古原草送别

离离原上草，一岁一枯荣。
野火烧不尽，春风吹又生。
远芳侵古道，晴翠接荒城。
又送王孙去，萋萋满别情。

春风，是让万物重现活力的灵丹妙药。年年岁岁苍翠又枯萎的青草，在春风的抚摸下再度焕发勃勃生机。芳草的馨香随风弥漫，在阳光的照耀下，一片碧绿将荒城装点得分外好看。而游子心中的思念也像这茂盛的青草一样，蔓延生长，延绵不绝。

『谚语』

一年之计在于春

春在一年四季中占据重要地位，全年的计划要在春天就考虑安排。只有在春天辛勤劳动才能获得丰收。

春雨贵如油

初春时节，我国北方地区降雨稀少，而越冬作物需要大量水分，因此春雨显得比油还珍贵，对农事活动有非常重要的作用。

误了一年春，三年理不清

农事活动要按照季节规律进行。农民要抓住春天适时播种的大好时机，倘若延误了春天播种，那么秋收就会遭受较大损失。

植物笔记

『山茶』

山茶植株形姿优美，叶片浓绿而有光泽，花冠艳丽缤纷，是世界园艺界的珍品。你看，山茶花朵颜色鲜艳又娇嫩，红的张扬活泼，白的清冷低调，粉的温和柔美，都争先恐后地展示着曼妙的身姿；层层叠叠的花瓣围绕着娇嫩的花蕊，像一张张快乐的笑脸，让早春的大地热闹起来。

别　　　名：茶花、山茶花
分　　　类：山茶科。常绿灌木或小乔木
花　　　期：一般在冬春季
应用价值：可供观赏及药用

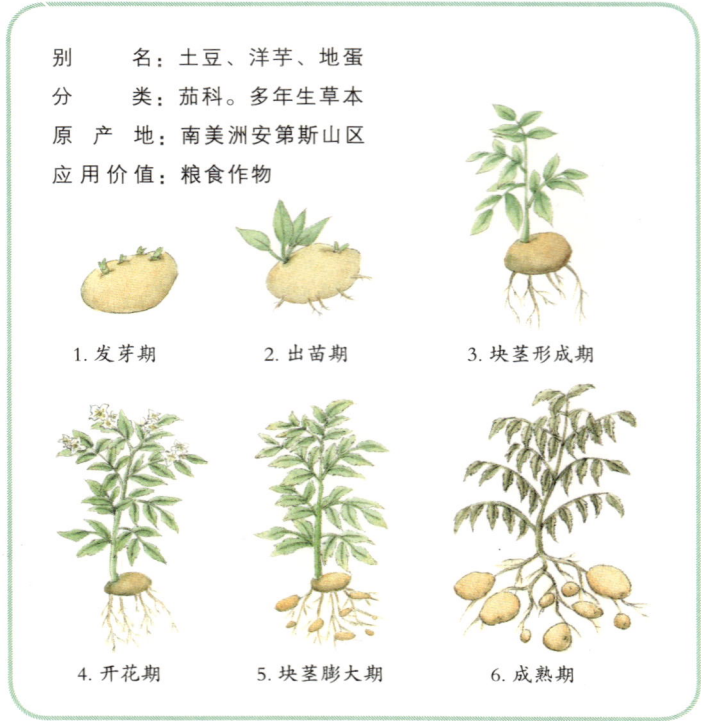

别　　　名：土豆、洋芋、地蛋
分　　　类：茄科。多年生草本
原　产　地：南美洲安第斯山区
应用价值：粮食作物

1. 发芽期　　2. 出苗期　　3. 块茎形成期
4. 开花期　　5. 块茎膨大期　　6. 成熟期

『马铃薯』

马铃薯是人类重要的主食之一，能为人体提供丰富的热量、蛋白质、氨基酸和维生素，特别是其所含的维生素种类是所有粮食作物中最全的。马铃薯产量高，对环境的适应能力也很强，与小麦、稻谷、玉米、高粱并称为世界五大粮食作物。它们的生长发育是呈周期性的，果实呈块茎状。在我国很多地方，春季是种植马铃薯的最佳时期，等地上的植株停止生长时，收获块茎的时刻就到来了。

动物笔记

『燕子』

"小燕子，穿花衣，年年春天来这里……"

燕子，是春的信使。它们体形虽小，却擅长穿梭在空中捕捉蚊子、苍蝇等害虫，是人类的好朋友。它们穿着乌黑光亮的外衣，小小的眼睛炯炯有神，再加上剪刀似的尾巴，真是俊俏又神气。燕子喜欢在树洞中营巢，也常常衔来树枝和新鲜的泥土，在房檐、屋顶等地方筑巢。看呀，屋檐下的小窝里，一只只小燕子正伸出脑袋，叽叽喳喳地叫着，等待妈妈带着小虫子回家呢！

分　　类：鸟纲，燕科
体　　长：一般为 13～18 厘米
繁 殖 期：一般在 4-7 月
分布区域：主要分布在亚洲、欧洲、非洲和美洲

分　　类：哺乳纲，兔科
体　　型：大型兔（5～8kg）、中型兔（2～4kg）和小型兔（2kg 以下）
分布区域：各大洲均有分布（南极洲除外）
繁 殖 期：一年四季均可交配繁殖

安哥拉兔　　英国垂耳兔　　西施兔　　蝴蝶兔

『兔子』

兔子是一种常见的哺乳动物，长着长长的耳朵和矫健有力的后腿，蹦蹦跳跳真可爱。它们还有一身厚厚的皮毛，那可是抵御寒冷的有效武器。兔子嗅觉敏锐，胆子却很小，很容易受到惊吓。你瞧，小兔子动起来时像一个活泼的小孩，静下来时又像一团茸茸的毛球，真有趣呀！

天气·习俗·节日

回南天

"回南天"是我国华南地区的天气返潮现象。每年春季二三月份，华南地区的冷空气消散后，暖湿气流迅速反攻，使得气温回升，空气湿度加大，暖湿空气碰到一些低温的物体后容易凝结成水珠。这时候，一些物品或食物很容易受潮而产生霉变，因此有必要采取防潮措施。

剃龙头

农历二月初二被称作"龙抬头"，是中国民间传统节日。民间认为龙是和风化雨的主宰，而"龙抬头"则意味着冬眠结束，万物复苏。龙抬头也是我国古代农耕文化对节令的反映，标志着气温回升、雨水增多，春耕由此开始。人们习惯在这一天剃头理发。"剃龙头"，寓意红运当头，寄托生活的美好希望。

元宵节

元宵节在农历正月十五日，是阖家团圆、其乐融融的好日子。这一天，家家户户都会赏花灯、猜灯谜、吃元宵，共庆佳节。元宵又叫汤圆，是用糯米粉做成的球状食品，象征团圆美满。汤圆有各种各样的馅，咬上一口，那香甜的汁液真是让人回味无穷！

漫画故事会

『元宵节的传说』

❶ 传说中,神鸟降落人间,意外被人射中。天帝得知此事后震怒,就下令让天兵在农历正月十五那天到人间放火,烧死人间的所有活物,以示惩罚。

❷ 天帝的女儿心地善良,不忍看到百姓无辜受难,就冒着危险偷偷来到人间,把这个消息告诉了众人。百姓得知这个消息后,都十分惊慌。

❸ 后来,有位老人家想出了一个办法,他说:"在正月十四、十五、十六这三天,每家每户都张灯结彩,点爆竹,放烟火。这么一来,或许可以逃过一劫。"

❹ 众人没有其他办法,只得照做。到了正月十五晚上,天帝看到人间一片红光,响声震天,连续三个夜晚都是如此,还以为那是大火燃烧的火焰,便没有继续放火。百姓因此保住了自己的生命和财产。

环保行动派

『世界湿地日』

　　湿地是"地球之肾",孕育和丰富了地球的生物多样性,与森林、海洋并称为地球的三大生态系统。然而,当今全球的许多湿地长期处于保护空缺的状态,生态环境遭到严重破坏。湿地国际联盟组织将每年的2月2日定为世界湿地日,以提高公众对湿地价值和效益的认识,从而更好地保护地球上的湿地。

『湿地有哪些作用』

　　湿地的作用可大啦。湿地像海绵,能蓄水、调节地下水,维持区域水平衡;湿地像过滤器,沼泽湿地能减缓水的流速,帮助沉淀和排除水中的毒物和杂质;湿地像净化器,能吸收二氧化碳,释放氧气,减缓温室效应,调节区域小气候。湿地还是动物们的栖息地。湿地如此重要,保护湿地刻不容缓!

湿地像海绵

湿地像过滤器

湿地像净化器

『朱鹮』

静静的山林边,浅浅的一汪水沼里,有一只孤独的大鸟在漫步。它有着雪白的身子,额头和脸颊露出鲜红的皮肤,像一位高洁的隐士,不慌不忙地迈着步子。这就是稀有的保护动物朱鹮。朱鹮喜欢在高大的树上休息,在溪流、沼泽等湿地环境地带觅食水生动物。但是,由于栖息地被大面积破坏,野生朱鹮的生存空间不断收缩,处于濒临灭绝的困境。快快行动起来,保护朱鹮和它们的家园吧!

『如何保护湿地』

建立湿地保护区

恢复已退化的湿地

合理利用湿地

种植保水植物

保护生物多样性

保护水源免受污染

3月的节日

- 3月3日 世界野生动植物日
- 3月5日 中国青年志愿者服务日
- 3月6日 惊蛰（这日前后）
- 3月8日 国际劳动妇女节
- 3月12日 中国植树节
- 3月15日 国际消费者权益日
- 3月21日 世界森林日／世界睡眠日／世界儿歌日
- 3月22日 世界水日
- 3月23日 世界气象日／春分（这日前后）

春风是一位神奇的化妆师，轻轻一吹，就吹化了残雪，还染红了桃花的腮，染白了梨花的脸，染黄了迎春花的发辫，再加上紫红色的紫云英、碧绿的秧苗……五彩斑斓的春景图就这样诞生了。瞧，田野里的油菜花开了，闪烁着一片金黄。不远处，孩子们在春光下奔跑玩耍，把快乐的笑声融进暖暖的春风里。

关于 3 月

3月是北半球春季的第二个月，公历年中的第三个月，属于大月，共有31天。3月有惊蛰和春分两个节气，是草长莺飞、百花争艳、万物蓬勃生长的时节。这时候，太阳直射的位置一天天向北移动，我国大部分地区的天气越来越暖和，十分适合农作物的生长，正是春耕备耕和春季田间管理的好时机。农民正抓住晴好的天气，开始在田间忙碌起来了。

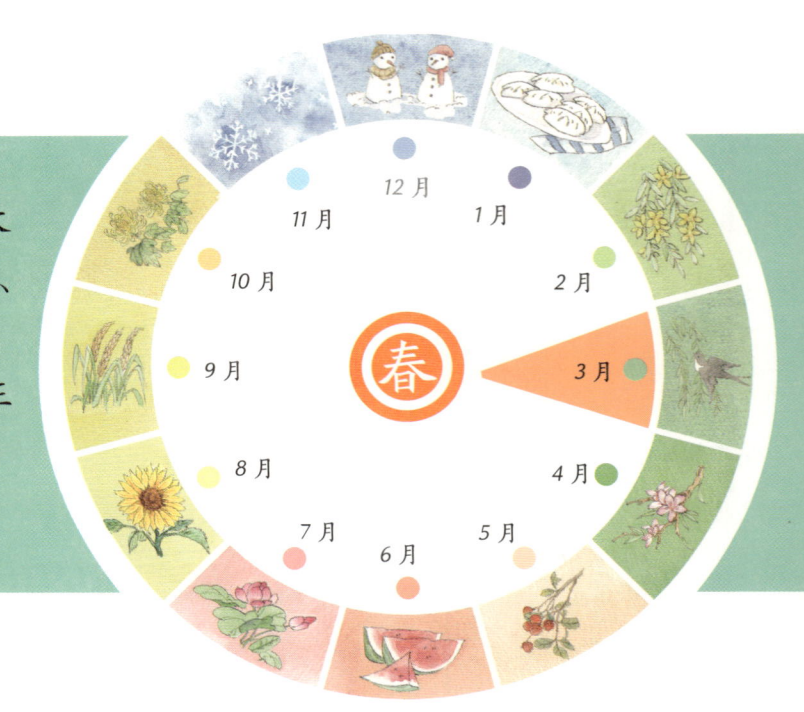

『地球公转与气候变化』

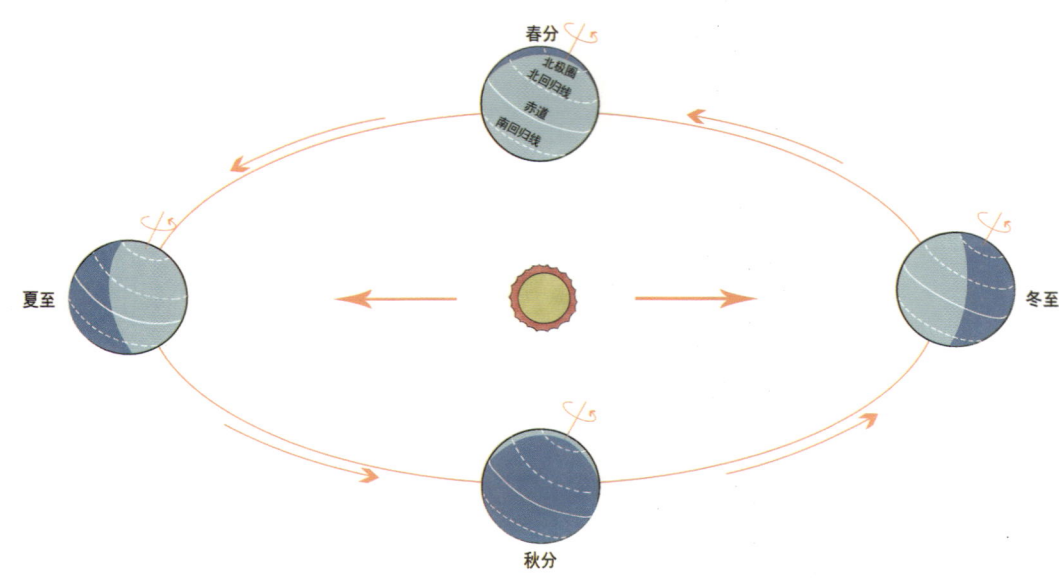

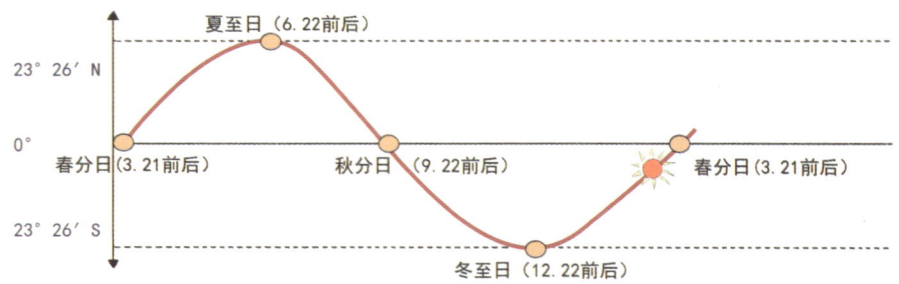

3月是暖春。根据我国古代的划分，惊蛰是"三春"中仲春时节的开始，寓意春雷惊醒蛰居的动物，这一天太阳运行到黄经345°。到春分时，太阳运行到黄经0°，直射地球赤道，南北两个半球的昼夜时间都是等长的。

『诗词赏析』

美好的暖春时节，百花盛开，天清气朗。

人们外出踏青，被柔和的太阳温暖着，欣赏着万紫千红的美景，思绪也随着清风和阳光慢慢飘散。

这个时候，到哪儿寻找最美妙的春天消息？到最美最美的江南去吧！那里杂花生树、群莺乱飞，那里杏花遍地、细雨润泽，那里有香喷喷的春天气息。

这时候的江南到底是什么样子？

请看唐代诗人白居易写的一首词。

忆江南

江南好，风景旧曾谙。
日出江花红胜火，
春来江水绿如蓝。
能不忆江南？

美丽的江南美景，寄托了多少思念哪。春天一到，太阳从江面升起，把江边的鲜花照得比火还红，碧绿的江水绿得胜过蓝草。

噢，谁不怀念这个时刻、这个地方？谁不深深回忆如梦如幻的江南？这样的春光，永永远远难忘。

『谚语』

惊蛰一犁土，春分地气通

3月气温回升，土壤解冻，在这时春耕锄地，开犁松土，有助于农作物的生长。

春雷响，万物长

春雷始鸣，惊醒了蛰伏于地下冬眠的动物，万物都开始蓬勃生长起来。

春分秋分，昼夜平分

春分和秋分时节，太阳直射地球赤道，南北半球昼夜平分，白天和夜晚的时间几乎等长。

植物笔记

『油菜』

春天一到，金灿灿的油菜花成了田野里最靓丽的风景。瞧，大片的油菜花连在一起，汇成了金光熠熠的海洋。油菜花的4枚花瓣，呈十字形围绕着中心的花蕊，好像在窃窃私语。油菜花开放时，浓郁的花香令人陶醉，还吸引了许多蜜蜂和蝴蝶在四周飞舞呢！油菜不仅开出的花好看，它结出的种子还能用来榨油，是重要的油料作物。

别　　　名：芸薹
分　　　类：十字花科。一年生或越年生草本
花　　　期：通常在1-3月
应用价值：油料作物及蜜源作物

别　　　名：粉色桃
分　　　类：蔷薇科。落叶小乔木
花　　　期：通常在3-4月
植株高度：一般在3～8米

『桃树』

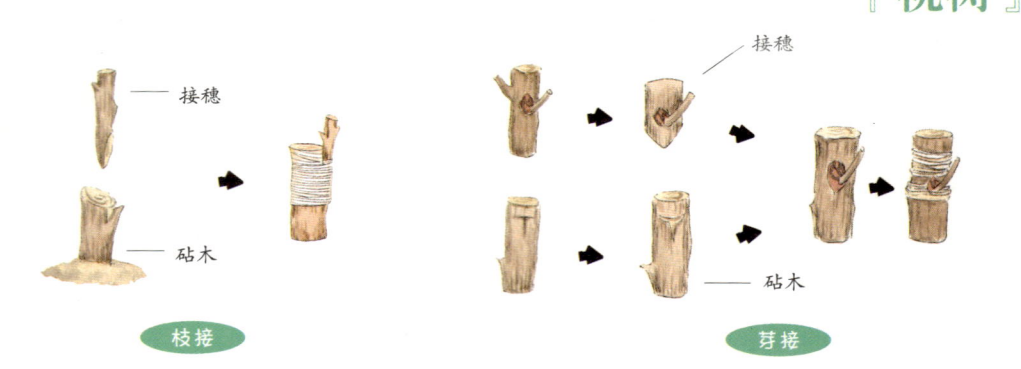

枝接　　　芽接

阳春三月，粉嫩的桃花在春风的吹拂下开放了，远远望去，仿佛一片灿烂的云霞。桃花有很高的观赏价值，桃树也是中国传统的园林花木。桃树浑身是宝，它的果实桃子是香甜可口的水果，果核可以用来榨油，枝、叶、果、根都能入药，桃木还能被用来雕刻成工艺品呢。

动物笔记

『黄鹂』

黄鹂是春天的歌者，它歌唱春天，歌颂生命。它们成群结队地在树枝间跳跃，清脆婉转地唱着歌。黄鹂喜欢在树上活动，捕食树林中的有害昆虫，也吃一些果实和种子。它们长着鲜艳的羽毛和尖细的嘴，圆圆的小眼睛又黑又亮。黄鹂的叫声可好听啦。它们喜欢隐藏在树叶丛中鸣叫，还能变换腔调和模仿其他鸟的叫声，是名副其实的"森林歌唱家"。

别　　　名：黄莺、黄鸟
分　　　类：鸟纲，黄鹂科
体　　　长：约25厘米
分布区域：夏季分布于中国和日本，冬迁马来西亚、印度和斯里兰卡等地

分　　　类：昆虫纲，膜翅目，蜜蜂科
蜂群构成：蜂王、雄蜂、工蜂
分布区域：各大洲均有分布（南极洲除外）
繁　殖　期：春季时繁殖速度最快

『蜜蜂』

蜂王　　　　雄蜂　　　　工蜂

蜜蜂是人类的好朋友。它们不仅可以传授花粉，还能采集花蜜，帮助人们酿造香甜的蜂蜜。它们常常飞到离"家"几千米远的地方采集花蜜，勤勤恳恳，被人们称为"辛勤的园丁"。小蜜蜂们之间交流信息的方式也很独特，它们有时跳起舞，有时从体内释放外激素，有时还会通过翅膀振动的声音向小伙伴们传递信号呢！

天气·习俗·节日

春旱

在我国北方,春季降水量稀少,容易引发干旱。因为没有充足的水灌溉农田,田地就裂出了大大的口子,很多农作物都渴望着雨水的滋润。另外,春季气温回升得快,土地中的水分快速蒸发,但这时能带来雨水的夏季风还没有吹过来,真是让农民伯伯发愁呀。

春分竖蛋

春分是一年中的第四个节气,民间流传着"春分到,蛋儿俏"的说法。人们喜欢在春分这一天选择一个光滑匀称的新鲜鸡蛋,轻轻地把它竖立在平面上(鸡蛋大头朝下)。"春分竖蛋"是一个古老的游戏,包含着人们庆祝春天到来、祈盼好运的心情。

上巳节

"又是一年三月三,风筝飞满天……"农历三月初三是上巳节,是中国民间传统节日。古时候的人们会在这一天结伴去水边沐浴,后来又逐渐增加了祭祀宴饮、曲水流觞等内容,寄托着他们祈求健康平安、人丁兴旺的心愿。现在,人们依旧喜欢在这一天外出踏青,感受春天的魅力,许下美好的愿景。

漫画故事会

『曲水流觞的故事』

❶ 东晋永和九年的三月初三,大书法家王羲之邀请了谢安等一众好友前往兰亭(今浙江省绍兴市郊)雅聚,行饮酒赋诗的"曲水流觞"活动,成为千古佳话。

❷ 他们在小溪旁席地而坐,将装满美酒的酒杯放入溪中,由上游浮水徐徐而下,经过弯弯曲曲的溪流,酒杯在谁的面前停下,谁就得即兴赋诗并饮酒。

❸ 随后,王羲之的儿子王献之将大家的诗稿收集起来,呈送给父亲。谢安提议将这次作诗的众多成果集成《兰亭集》,为聚会留下纪念。

❹ 大家都举手赞成,又一致推举东道主王羲之为诗集写一篇序文。王羲之借着酒意,诗性摊开了蚕茧纸,写下了著名的《兰亭集序》:"永和九年,岁在癸丑,暮春之初,会于会稽山阴之兰亭……"

环保行动派

『世界水日』

1993年,第47届联合国大会将往后每年的3月22日定为世界水日,目的是唤起人们的节水意识,加强水资源保护。水是地球上一切生命赖以生存的基础,也是一切社会活动不可缺少和不可替代的重要资源。但是,当今社会的人口增长、工农业生产活动和城市化加快发展,对有限的水资源和水环境产生了巨大冲击。让我们一起行动起来,节约用水,保护地球上珍贵的水资源。

『地球上有多少水』

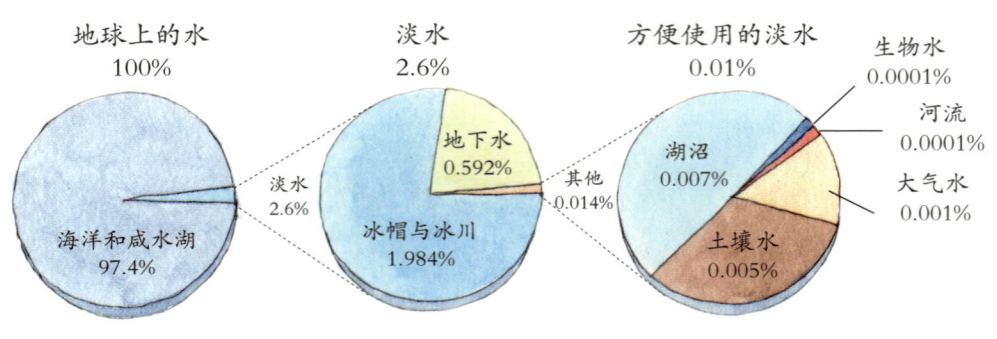

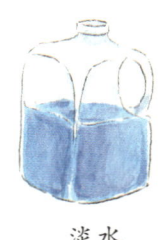

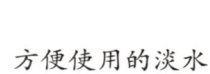

虽然地球上"三分陆地七分水",储水量十分丰富,共有约14亿立方千米,但是其中海水占97.4%,陆地淡水仅占2.6%,而且淡水中的绝大部分被冻结在南极冰原和北极冰山中。地球上真正能供人类直接利用的淡水极少,比如与人类生活最密切的河流、淡水湖和浅层地下水等淡水仅占淡水总储量的0.01%。随着人口的增长和经济的发展,人类对水的需求增长越来越快,许多国家和地区陷入缺水困境。

『水污染』

水污染主要是由人类活动产生的污染物造成的，可以分为工业污染源、农业污染源和生活污染源三大部分。水资源受到污染，不仅会危害水生生物的生命，还会影响饮用水源，引发人体疾病。此外，被污染的水体还会产生难闻的有害气体，破坏生态环境。水污染被称为"世界头号杀手"。

水体污染的主要来源

『如何保护水资源』

水，是大自然送给我们的礼物。只有每个人都从自己做起，节约用水，保护水资源，我们才能拥有一个绿树成荫、鸟语花香、河水清清、鱼儿欢畅的美好生活环境。

思考
一个水龙头滴水，15 分钟就滴水 200 毫升，每天滴出 20 升水，一年会浪费多少吨水？

4月的节日

- 4月2日 国际儿童图书日
- 4月5日 清明（这日前后）
- 4月7日 世界卫生日
- 4月20日 谷雨（这日前后）
- 4月22日 世界地球日／世界法律日
- 4月23日 世界图书和版权日
- 4月24日 中国航天日
- 4月26日 世界知识产权日

四月让人一见倾心,四月可以入诗入画。淅淅沥沥的春雨随风飘下,轻轻柔柔又洋洋洒洒。你瞧,细雨敲打着不远处房屋的屋檐,农民伯伯正在翠绿的田野间忙碌。孩子们正撑着伞在雨中嬉戏呢。走到凉亭中缓缓坐下,饮下一口新鲜的春茶,不禁沉醉在这四月的春风里。

关于 4 月

4月是北半球春季的第三个月，公历年中的第四个月，是全年第一个小月，共有30天。4月有清明和谷雨两个节气。这时候，气温日渐升高，降水量逐渐增多，是万物生长、春耕播种的好时机。春风轻灵、春光明媚、春色多变正是4月的季候特征。4月的大自然春色盎然，枝条吐绿，鲜花绽放，田野间满是动人的景象，外出踏春、赏春正当时。

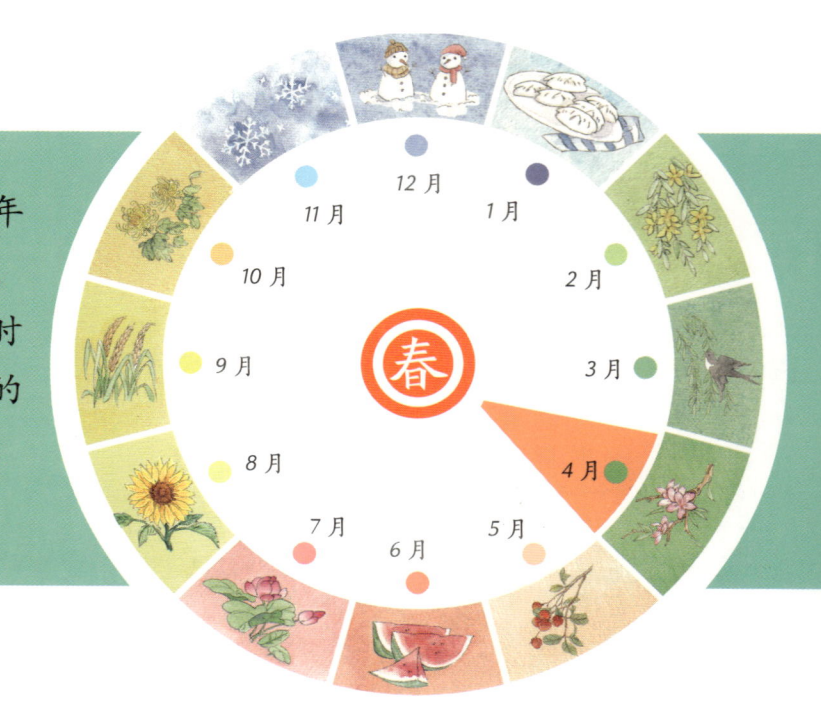

『地球公转与气候变化』

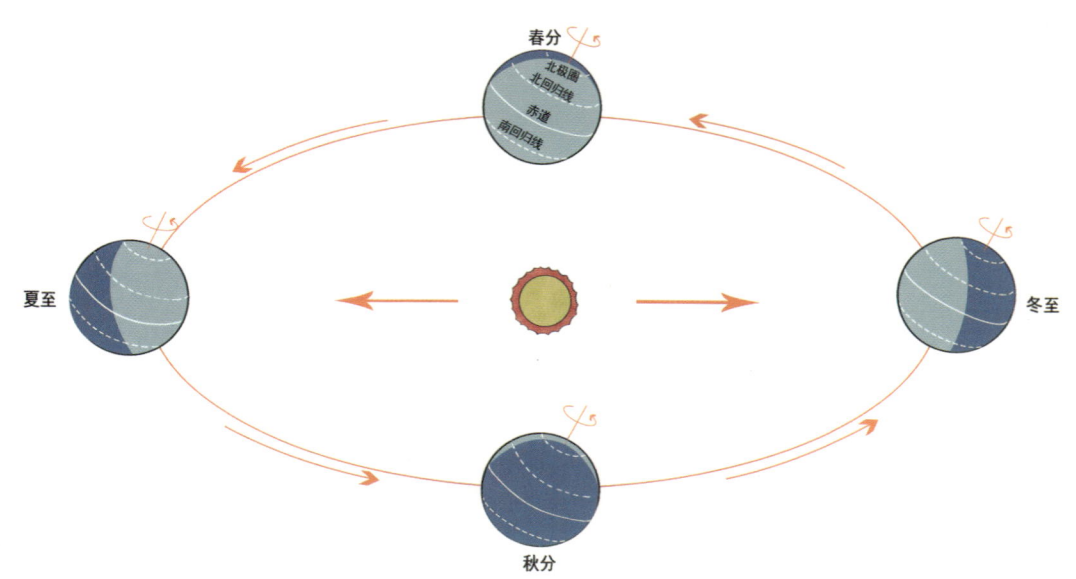

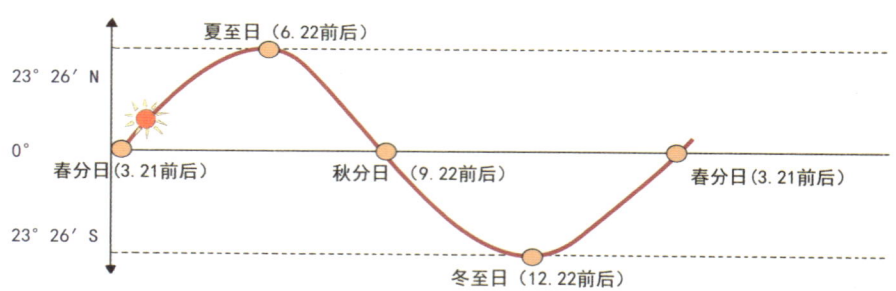

4月是春季的最后一个月。清明节气，太阳运行到黄经15°，气温上升，降水较多，正好种树、种庄稼。到了谷雨节气，太阳则运行到黄经30°，此时寒潮天气基本结束，气温回暖进一步加快，正是适合谷物生长的好时节。

『诗词赏析』

暖春时分,万物吐故纳新,空气也变得格外清新。
这时候的春天是什么样子?
请看唐代诗人杜牧在一首诗中的描写吧。

清明

清明时节雨纷纷,
路上行人欲断魂。
借问酒家何处有,
牧童遥指杏花村。

在这如诗如画的清明时节,到处春雨纷飞,似乎总也没有一个完。清明时节的雨水呀,连绵绵的,细蒙蒙的,简直就像一个会变戏法的魔术师。这样的雨洒在漫长的泥路上,把脚下的泥土和心儿都搅拌得软软的,不知道是什么滋味。

行路的人累了,行路的人惆怅了,得找一个地方好好歇一会儿了。

喂,路边的放牛娃,请你告诉我,哪儿有卖酒的地方,得好好喝一杯,暖一暖身子呀。

牧童听后笑而不答,静静指向杏花山村。

『谚语』

清明前后,种瓜点豆

清明时,气温升高,降雨增多,在这时播种瓜类和豆类等庄稼,收成会很好。

谷雨过三天,园里看牡丹

谷雨前后,正值牡丹花竞相开放,姹紫嫣红,分外好看。因此牡丹花也叫"谷雨花",素有"花中之王"的美称。

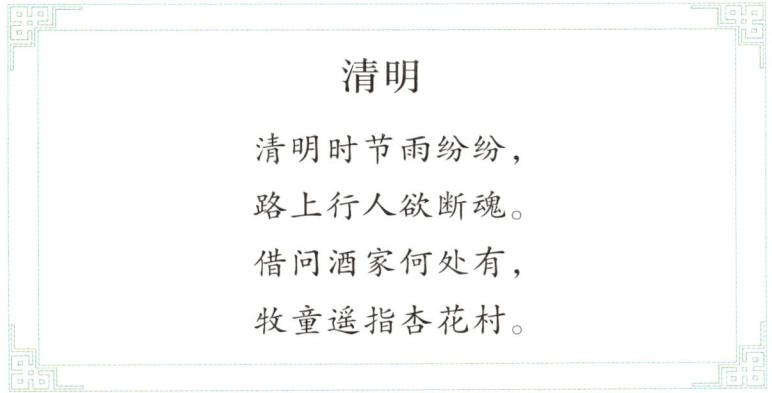

清明一尺笋,谷雨一丈竹

春天里,竹笋破土而出,尽情地吸取阳光雨露,一日日茁壮成长。不到一年,它们就能长成竹林。

植物笔记

『蘑菇』

嘘，听说森林里发生了新鲜事。瞧，一个个戴着帽子的"小矮人"悄悄从地里冒出来了。那是蘑菇，一种广泛种植的食用菌。春天是采蘑菇的季节，各种各样好看又好吃的蘑菇一下子就装满了篮子。香菇、金针菇、茶树菇，还有猴头菌、牛肝菌等都是常见的菌种。但是，部分品种的蘑菇含有有毒物质，所以在野外看见蘑菇时，不要随意采摘食用哦。

学　　　名：双孢蘑菇
分　　　类：担子菌亚门，蘑菇科
生活方式：腐生、寄生
栽　培　期：一般在秋、冬、春为宜

香菇　　金针菇　　杏鲍菇
蟹味菇　　松茸

别　　　名：茗
分　　　类：山茶科。常绿灌木
分布区域：主要分布在热带和亚热带地区
应用价值：用于制作饮料和药用

1. 采茶
2. 日光萎凋
3. 室内静置
4. 浪青
5. 炒青
6. 初揉
7. 布团揉
8. 成品干燥
9. 炭火精制焙火

茶叶制作过程

『茶』

茶源于中国，茶树在我国有 6000 多年的种植历史，是一种古老的作物。春季温度适中，降水充足，使得茶树叶片肥硕，色泽翠绿，香气宜人。茶树鲜嫩的叶芽，经过加工干燥等工序，便形成了让人齿颊留香的茶叶。用一壶沸腾的热水冲泡新鲜的春茶，尽情品尝春天的芬芳吧。

动物笔记

『布谷』

布谷、布谷……布谷鸟扇着翅膀飞过来又飞过去，低低地掠过田野，一声声"布谷、布谷"地叫着。布谷鸟喜爱生活在开阔的林地，特别是有水源的地方，它们最擅长发出欢快的叫声。布谷鸟是春天的使者，提醒着人们春天来了，要赶快开始春耕播种。它们还能捕捉害虫，给农民伯伯帮忙呢！

亦　　称：四声杜鹃
分　　类：鸟纲，杜鹃科
体　　长：一般在30～33厘米
繁 殖 期：一般在5-7月

『蝶』

菜园里、花圃中，成群的蝴蝶像从空中撒下的五颜六色的纸片，随风飞舞。你瞧，那蝴蝶像不像倒挂在树上的一片树叶？可等伸手去摘那片叶子，它却一转身飞走了。原来那就是著名的枯叶蛱蝶。蝴蝶的种类很多，一般色彩也很丰富。它们大大的翅膀上有一层薄薄的鳞片。这种鳞片不仅能使蝴蝶翅膀的颜色鲜艳多彩，还能像雨衣一样保护着它们呢。

亦　　称：蝴蝶
分　　类：昆虫纲，鳞翅目，锤角亚目
分布区域：主要分布在美洲、亚洲
物种现状：种类甚多，约有14000种，中国约有1300种

天气·习俗·节日

倒春寒

倒春寒说的是初春时气温回升速度快，到了春季后期却突然变为持续低温天气的特殊天气现象。人们说，春季的天气是孩子的脸，常常说变就变，经常在白天时还是阳光和煦，夜晚就变得春寒料峭。这时要注意防寒保暖，以免生病，老人说的"春捂"就是这个道理。

吃青团

青团是江南一带的传统特色小吃。勤劳聪明的江南人，在万物复苏的春色里寻得鲜嫩的艾草，并将它们成团拔下，把艾草的汁与糯米粉搅拌做成皮，再包裹豆沙或莲蓉做馅，早期的青团就这样做成了。江南人把春天第一次吃青团叫作"尝春"，一口咬下去，在软糯香甜的味道里，尝到了南方春天的气息。

清明节

清明节是中华民族古老的节日，已有2500多年的历史。清明不仅是自然节气，也是人们祭奠逝者、缅怀先烈的重要祭祀节日。这时候的自然界到处呈现一派生机勃勃的景象，正是远足踏青、亲近自然的好时机。中国民间一直保持着清明踏青远游的习俗。

漫画故事会

『割股充饥的故事』

❶ 相传春秋时期，晋公子重耳为了躲避祸害而流亡出走。有一次，他因为饥饿晕了过去，随臣介子推为了救他，割下了自己腿上的肉，用火烤熟送给重耳吃。

❷ 后来重耳做了国君，也就是历史上的晋文公。他即位后，曾经陪他逃亡的大臣们纷纷邀功请赏。介子推却不愿争功，便背着老母亲隐居起来。晋文公想请介子推出山，有人便建议放火烧山，以逼介子推自己走出来。

❸ 大火烧了三天才熄灭，最后人们在一棵烧焦的柳树下发现了介子推母子的尸体。在遗体旁边的树洞中，人们找到了介子推写下的诗句："割肉奉君尽丹心，但愿主公常清明。"

❹ 为了纪念介子推，晋文公下令介子推死难之日人们不得生火做饭，要吃冷食，由此形成了寒食节。寒食节是清明节的前一天。后来，扫墓祭祖的风气日盛，人们常常将扫墓的时间从寒食节延至清明节，两个节日逐渐融为一体，成了今天所说的清明节。

环保行动派

『世界地球日』

世界地球日是一个为了保护地球生态环境而设立的节日,时间设定在每年的 4 月 22 日,目的是号召人们用绿色低碳的方式生活,保护和改善地球的整体环境。随着人类活动的不断加剧,威胁人类的环境问题日趋严重,地球生态环境的保护成为一个越来越重要的话题。地球是人类共同的家园,人类只有一个地球,让我们行动起来,创造更加美好的世界。

『持久的化学战争——酸雨』

酸雨指的是酸性的雨,是 pH 值小于 5.6 的大气降水。火山爆发等自然因素以及人类活动的影响都可能会带来酸雨。酸雨主要是人为向大气中排放大量酸性物质所造成的。人类在生活中燃烧化石燃料产生的二氧化硫、工业生产产生的废气,以及不断排放的汽车尾气,都可能增加大气中硫氧化物和氮氧化物的排放,导致酸雨的产生。

『酸雨的危害』

酸雨对地球的生态环境和人类的生存都会造成很大的危害。酸雨落在地表，会使地表水酸化，使得水中生物死亡，还会影响植物的生存，导致森林土壤退化，破坏森林生态平衡。酸雨对金属和地表建筑还会起到腐蚀作用，影响城市市容。酸雨渗入地下水后，还会污染饮用水源，威胁人类的健康。

pH 值示意图

『让我们一起保护地球』

我们是地球的小主人，也是保护地球的小卫士。让我们从身边的小事做起，共同保护地球母亲。

尽量乘坐公共交通工具出行

爱护环境，保护树木，多种树

多使用太阳能等清洁能源

节约用水、用电，珍惜地球资源

植物检索

动物检索

 晒一晒你所关注到的春天